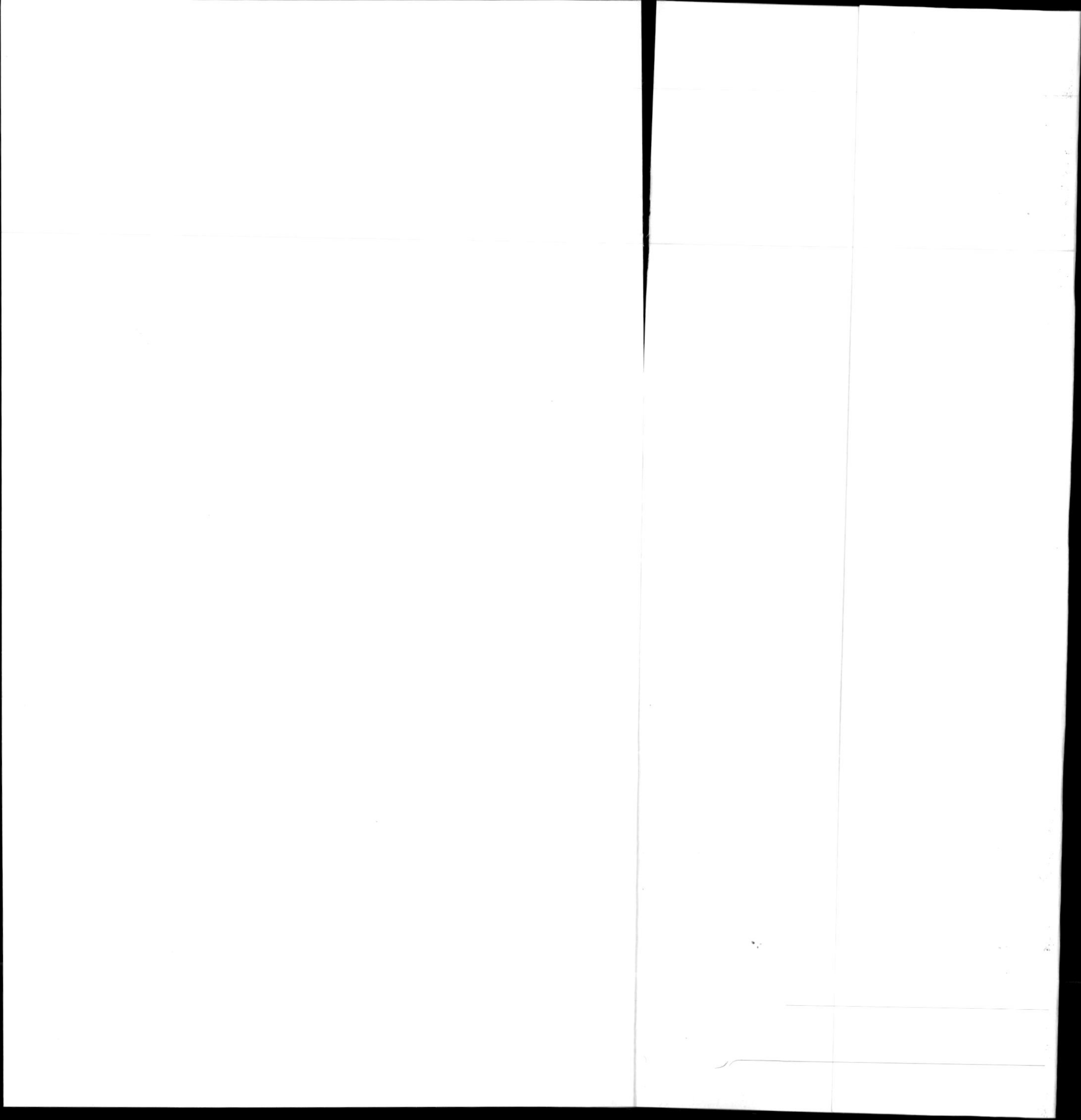

Magdalena Balaga

# Die pure Wahrheit über das wahre Wunder Leben

## Impulse für mehr Zufriedenheit und Erfüllung

---



Verlag und Druck: tredition GmbH, Halenreie 40-44,
22359 Hamburg

ISBN
Paperback: 978-3-7497-0040-0
Hardcover: 978-3-7497-0559-7
e-Book: 978-3-7497-0560-3

---

## Einleitung: Was ist das wahre Wunder Leben? Ein paar einleitende Worte zu meinem Ratgeber

Auf dem Markt gibt es bereits zahlreiche Bücher zum Thema glückliches und erfülltes Leben, dass man von lauter Angebote ein Überblick verlieren kann.

Da aber meine Gedanken, die zu einem Buch wurden aus der eigenen durchlebten Erfahrung resultieren, bin ich der Meinung, dass dieses Buch einen sehr großen Lebensbezug hat und sehr realitätsnah ist.

Dieser Impuls-Geber Die pure Wahrheit über „das wahre Wunder Leben (...).“ entstand aus den durchlebten Erfahrungen von mehr als 10 Lebensjahren von mir. Zunächst war es eine Sammlung von Gedanken, die eigentlich nur für mich gedacht waren.

Jedoch nach langer Überlegung habe ich mir gedacht, dass ich mit meinen Gedanken und meinen Erfahrungen den anderen Menschen helfen könnte.

Dieses Buch ist adressiert an Alle, die das Leben tiefer erforschen und bewusster leben wollen. Es ist auch für Menschen, die sich nach dem Leben voller Positivität und Erfüllung sehnen.

Und das gemeinsame verbindet doch.

Als Mensch ist man nie alleine, es gibt immer Tausend andere Menschen, die einen ähnlichen Lebensverlauf bzw. Lebensweg haben.

Die Frage ist nun, wie man mit bestimmten Schicksälen fertig wird. Man kann Probleme alleine angehen und bewältigen, oder auf den

Erfahrungsschatz der anderen Menschen zurückgreifen.

Deswegen wollte ich Ihnen meine Erfahrungen nicht vorenthalten. Zugleich hoffe ich stark, dass ich mit meinen Worten Ihnen Mut machen kann, und Zuversicht spenden kann, um die Lebenschance immer wieder und zu jeder Zeit neu zu ergreifen.

Dieses Buch ist also eine wahre Geschichte, mit der ich Ihnen Mut machen will, das Leben trotz der „schlechten Zeiten, die man im Leben immer wieder hat, voller Zuversicht trotzdem weiter zu bestreiten.

Es ist nie zu spät um glücklich zu sein, und um ein erfülltes Leben zu führen.

Jeder hat Recht glücklich zu sein.

Die einzige Frage, die sich diesbezüglich stellt, ist die Frage nach dem „wie?“. Also: „wie“

schaffe ich es glücklich zu sein bzw. ein glückliches Leben zu führen. Gibt es da ein allgemeingültiges Rezept für das Lebensglück?

Was sollte man alles tun, um die Leichtigkeit und die Glückseligkeit im Laufe des Lebens zu bewahren.

Was kann sich störend auf das Glück auswirken, und ob man was dagegen tun kann.

Auf all diese Fragen und viele mehr will ich Ihnen durch mein Buch Antworten in Form von den zahlreichen Impulsen geben, die Sie auf Ihrem persönlichen Lebensweg begleiten und bereichern.

Wie sehen Sie **DAS EIGENE LEBEN**

und welche Bedeutung hat es für Sie persönlich?

*„Die Stärke eines Menschen liegt in seinem festen Willen zu einer Veränderung.*

*Aber nur die Veränderungen im Leben, die einen herausfordernden Weg hinter sich haben, sind die wertvollsten.*

*Denn diese bringen Bewegung ins Leben und fördern die persönliche Entwicklung"*

*(M. Balaga)*

# Kapitel 1: Meine drei Sichtweisen über das Wunder Leben

Da das Wunder Leben sehr komplex und vielfältig ist, bin ich der Meinung, dass man das Leben aufgrund der Komplexität aus mehreren Augenwinkel betrachten kann.

Das Leben kann beispielsweise als **eine Erfahrungsreise** angesehen werden.

Was verbirgt sich dahinter? – Für mich ist das Leben eine Reise auf der wir Menschen zahlreiche Erfahrungen machen dürfen und auch sollten, um uns als Individuum persönlich weiter zu entwickeln.

Dadurch, dass wir Menschen auf dieser Erde Erfahrungen machen dürfen, lernen wir sowohl bewusst, als auch unbewusst jeden Tag was Neues und machen neue Erfahrungen.

Darum kann meiner Ansicht nach das Wunder Leben des Weiteren als **ein ständiger Lernprozess** betrachtet werden.

Wir fangen schon als ein Baby unsere ersten Erfahrungen zu machen und mit der Zeit werden wir immer reicher um neue Erkenntnisse, was uns Menschen in unserem persönlichen Dasein weiter voranbringt.

Neben dem Leben als eine Erfahrungsreise und als ein ständiger Lernprozess, könnte man das Leben auch visualisieren, indem man sich das Leben reinbildlich als **Lebens-Tempel mit vielen Lebenssäulen** vorstellen könnte. Die Stabilität des Lebens-Tempels, als Symbol für unser Leben, wäre dann gegeben, wenn nach Möglichkeit alle tragenden Säulen des Lebenstempels stabil sind.

Die genaue Erklärung folgt in den nachfolgenden Kapiteln, wo ich ein wenig ausführen will, was unter anderem für mich die drei Sichtweisen über das Wunder Leben bedeuten.

## *Meine erste Sichtweise über das Wunder Leben - Das Leben als eine Erfahrungsreise*

Das Leben ist eine aufregende Erfahrungsreise, auf der wir Menschen bewusst, meist aber auch unbewusst ständig immer wieder was Neues lernen - zusätzlich zu dem, was wir bereits schon erfahren haben, um uns weiterentwickeln zu können.

Mancher kann der Meinung sein:

„Ich bin ein Pechvogel oder „ich bin ein Versager und mache andauernd Fehler"- Diese Aussagen stimmen so nicht, da es keine guten oder schlechten Entscheidungen im Leben gibt.

Man weiß nämlich nicht sofort, ob wenn wir uns zu einem Zeitpunkt X für die Sache Y entscheiden, ob dann diese endgültige Entscheidung sich dann tatsächlich im nachherein als positiv für uns erweist.

Man kann meist erst nach Jahren die in der Vergangenheit getroffenen Entscheidungen „tatsächlich richtig objektiv bewerten“.

Erst dann sieht man diese aus einem anderen Blickwinkel, als in der damaligen Situation in der die Entscheidung frisch getroffen wurde.

Und wenn es im Leben nicht so läuft, wie wir uns es vorgestellt haben, und wir den sog. „Fehler“ begangen haben, müssen wir einfach daraus lernen.

Und jede schwere und nicht so schöne Phase im Leben bzw. eine Krise ist meiner Meinung nach für jeden Menschen ein großes Geschenk vom Leben. Ein Geschenk, was einfach angenommen werden will und auch sollte, denn es bietet uns Menschen eine Möglichkeit über das Leben nachzudenken.

Daraus ergibt sich wiederum eine Möglichkeit das Leben zum Positiven zu verändern.

Eine negative Kursänderung im Leben in eine positive umzuwandeln erfordert zwar viel Mut und Geduld. Aber es ist nie zu spät und es lohnt sich, denn:

> *„Nicht alles Hinderliche im Leben hat negative Auswirkung auf unser Leben.*
>
> *Nachteilig kann es sich nur dann auswirken, wenn wir es nicht bewusst wahrnehmen und nicht daraus lernen."*
>
> *(M. Balaga)*

Man darf an dieser Stelle nicht vergessen, dass es keinen Menschen gibt, der keine „Fehler“ macht oder keine „perfekten Entscheidung“ trifft.

„Der sprichwörtliche Fehler“ bedeutet für mich persönlich eine wertvolle Erfahrung und gehört somit einfach zum Leben dazu.

Wir Menschen brauchen die Erfahrungen jeglicher Art, vor allem die, die aus unserer Sicht angeblich negativ sind. Ohne diese Erfahrungen würden wir heute in unserer persönlichen Entwicklung nicht da ankommen, wo wir uns im gegenwärtigen Moment, also im Hier und Jetzt befinden.

### *Meine zweite Sichtweise über das Wunder Leben - Das Leben als ein ständiger Lernprozess*

Des Weiteren sehe ich persönlich das Leben als ein kontinuierlicher und ständiger Lernprozess an.

Nehmen wir als Beispiel ein kleines Kind, das gerade anfängt seine ersten Schritte selbständig zu machen. Das Kind erfährt das Leben durch Ausprobieren.

Das hängt natürlich auch mit den vielen Erfahrungen zusammen, die nicht nur positiver Natur sind.

Das kleine Kind ist aber noch nicht im Stande selbständig zu unterscheiden, was sprichwörtlich „Gut“ oder „Schlecht“ ist. Wenn das Kind, was „Negatives“ erlebt, lernt es auch damit umzugehen.

Seine durchlebten Erfahrungen werden als was „Negatives“ empfunden und abgespeichert. Aber das Negative trägt auf jeden Fall zur weiteren positiven Entwicklung des Kindes bei.

Denn gerade die negativen Erfahrungen im Leben sind lehrreicher als die positiven Erfahrungen. Das Kind erlebt die negativen Erfahrungen zu Anfang zwar als was Negatives. Jedoch dadurch bekommt es im nachherein viel Klarheit und lernt daraus effektiver vor allem für die Zukunft.

Und auch wenn das Kind bei den ersten Schritten fällt, gibt es meistens nicht so leicht auf. Es steht trotz der kleinen „Niederlagen“ voller Begeisterung immer wieder auf, und versucht die nächsten Schritte weiter zu gehen, um die Welt zu erkunden und zu erfahren.

Die kleinen Kinder sind einfach unvoreingenommen und möchten das Leben in vollen Zügen erfahren. Für die Kinder ist alles „noch lebenswert“, so wie es sich eigentlich unabhängig von dem Alter gehört.

Im Gegensatz dazu gehen die Erwachsenen distanzierter mit ihrem Leben um – so ist zumindest mein persönliches Gefühl.

Des Weiteren wird Vieles als gegeben akzeptiert.

Öfters wird ja auch noch gesagt: „so ist das Leben halt“ oder „das Leben ist kein Wunschkonzert.“

Ich habe auch das Gefühl, dass die Leichtigkeit als Erwachsener durchs Leben zu gehen und die Neugier das Leben unabhängig vom Alter immer wieder neu zu erfahren

bei uns Erwachsenen im Laufe des Lebens irgendwie verloren gegangen ist, oder einfach uns aberzogen worden ist.

Aus diesem Grund sollte man das Leben der vergangenen Generationen nicht kopieren. Man soll es auch nicht als ein Vorbild nehmen, denn das Leben damals war anders als heute.

Das Leben unterliegt auch einem ständigen Wandel, darum sollten wir Menschen unser Leben zeitgerecht gestalten.

Jeder kann auch die eigenen Ziele im Leben und den Sinn des Lebens selbst definieren und dies immer wieder neu abhängig von der Situation oder Lebensphase in der man sich gerade befindet.

Und vor allem sollte man viel Individualität in das eigene Leben reinbringen. Denn jeder als Mensch ist ein Individuum, das durch eigene spezielle und individuelle Sehnsüchte, Wünsche und Träume geprägt wird.

Das Leben sollte meiner Meinung nach, auch wenn es nicht immer als einfach empfunden wird, mit einer Prise Leichtigkeit genossen und einfach intuitiv erfahren werden.

Das heißt einfach: viel mehr Raum der eigenen Intuition schenken und die eigenen Wünsche, die tief aus dem Herzen kommen, einfach bewusster wahrnehmen und dementsprechend diesen Herzenswünschen Raum zur Entfaltung geben.

Als Abschluss meiner kleinen gedanklichen Ausführung über das Leben als ständiger Lernprozess wollte ich noch zu allerletzt verdeutlichen, dass egal welche Art von Erfahrung im Laufe des Lebens gemacht wird – jede Erfahrung manchmal auch die schmerzhafte oder negative ist von großer Bedeutung. Sie fragen sich selbstverständlich: „Warum?".

Die Antwort lautet: weil es einfach uns als Menschen in jeder Hinsicht erfahrener macht.

Aus eigener Erfahrung kann ich sagen, dass die Achtsamkeit großen Einfluss auf den Umgang mit den eigenen Erfahrungen hat. In diesem Zusammenhang ist es immer wichtig alles Essentielle, die uns wiederfährt, erst einmal für sich selbst annehmen, dann akzeptieren, um zur allerletzt zur bewussten Verarbeitung dieser Erfahrungen zu gelangen.

Denn:

> *„Die bereichernde und zugleich die positive Erfahrenheit eines Menschen resultiert aus der Vielzahl im Leben gesammelten Erfahrungen, insbesondere den negativen.*
>
> *Denn gerade die negativen Erfahrungen sind sehr lehrreich, wenn diese auch bewusst verinnerlicht wurden."*
>
> *(M. Balaga)*

Liebe Leserin/Lieber Leser, ich persönlich würde Ihnen herzlichst empfehlen von jeder Erfahrung, egal ob positiver oder negativer Natur, einfach immer wieder zu lernen. Auf diese Weise kann ein positiver Lebenskurs voller Freude und Erfüllung im Leben immer beibehalten werden.

Und was noch sehr empfehlenswert auf der Lebensreise wäre, ist das Leben mit ein wenig Unvoreingenommenheit und einer Prise Leichtigkeit zu begegnen.

Das Leben ist nicht immer nur gut oder böse, oder alles ist nur „weiß“ oder nur „schwarz“. Es gibt immer was dazwischen.

Ich bezeichne es einfach für mich als „eine goldene Mitte“.

Und wenn man zusätzlich darauf vertrauen würde, dass es jeder Zeit möglich ist, das Leben voller Erfüllung zu bestreiten, könnte man „diese goldene Mitte“ immer wieder voller Zuversicht und Leichtigkeit noch bewusster erleben.

## *Meine dritte Sichtweise über das Wunder Leben - Wie lässt sich das Leben reinbildlich darstellen? – visuelle Darstellung des Lebens*

Haben Sie bereits darüber nachgedacht, wenn Sie Ihr Leben als Bild darstellen sollten, wie dann Ihr persönliches „Bild des eigenen Lebens“ zu der bestimmten und aktuellen Zeit ausschauen würde?

Für mich persönlich ist das Leben, wenn ich es visualisieren sollte, rein bildlich ein Lebens-Tempel, das von mehreren normallerweise stabilen Säulen getragen wird.

In diesem Lebenstempel gibt es immer wieder unzählige Wege, Möglichkeiten und Wendungen, die sich uns Menschen im Laufe des Lebens einfach anbieten.

Das Ziel ist letztendlich das Leben voller Erfüllung, Leichtigkeit und Freude.

Und auch wenn manche Wege unseres Lebens uns zunächst steinig erscheinen, führen diese uns trotzdem an unser gewünschte Lebensziel.

Die wichtigsten „Säulen des Lebenstempels bzw. des Lebens“ sind unter anderem: die Familie, die Partnerschaften (wie z.B. die Ehe), die sozialen Kontakte (wie z.B. die Freundschaften oder die Bekanntschaften) und die Hobbys.

Wenn der Lebenstempel von starken und robusten „Lebenssäulen“ getragen wird, kann man dann meiner Meinung nach, von einem Leben sprechen, das ausgeglichen ist.

Dieser Mensch muss sich soweit keine Sorgen machen, dass sein Leben einfach so leicht aus den Rudern läuft.

Und auch wenn eine dieser „Lebenssäulen des Lebenstempels“ teilweise oder ganz wegbrechen sollte, kann der Mensch immer wieder auf andere stabile „Lebens-Säulen“ zugreifen und aus diesen Säulen bzw. der Kraftquellen, dann die nötige Lebenskraft schöpfen.

Bei den Menschen bei denen viele „Lebens-Säulen“ im Ungleichgewicht sind, wird es eindeutig schwieriger in Bezug auf ein stabiles und erfülltes Leben.

In solchen Fällen fühlt man sich, als hätte man keinen Bodenkontakt mehr.

So ein Zustand führt zur Unzufriedenheit und treibt den Menschen so weit, dass er sich irgendwann mal fragt, was er tun soll. Dies wäre auf jeden Fall eine gesunde menschliche Reaktion.

Was sollte man also tun, wenn unser Lebenstempel doch Stück für Stück droht abzustürzen. Wichtig in solchen Situationen ist, dass man nicht verzweifelt, sondern einen reellen

Blick für das Wesentliche behält, um die bestehende Situation zu überprüfen, um daraus Konsequenzen für sich zu ziehen.

Die optimale ausgeglichene Lebenslage ist meiner Ansicht dann gegeben, wenn nach Möglichkeit all diese von mir aufgezählten „Lebens-Säulen“ im ausgeglichenen Verhältnis zu einander stehen.

Falls aber die Stabilität einer der Säulen durch die negativen äußeren Einflüsse beeinträchtigt wird, verliert der „Lebens-Tempel“ an Stabilität.

Zu den äußeren Einflüssen können im Bereich der Partnerschaft z.B. die ständigen Auseinandersetzungen, die Missverständnisse und die Streitigkeiten gehören. Andere Beispiele für die negativen Einflüsse z. B. im Bereich des Berufslebens können beispielsweise das Mobbing oder die Machtspiele zwischen dem Vorgesetzten und dem Mitarbeiter sein.

Betrachten Sie Ihre Partnerschaft immer durch **DIE BRILLE DES EIGENENS HERZENS**?

*„Die Partnerschaften und die zwischen menschlichen Beziehungen sind, wie die zarte Rose, die um ihre Schönheit vollkommen zu entfalten immer gepflegt werden will.“*

*(M. Balaga)*

## Kapitel 2 - Der kleine Exkurs zum Thema: Die Lebenssäule der Partnerschaft im Lebenstempel“ und der Erhalt Ihrer Stabilität

Wie das Leben aus dem Ruder laufen könnte, bzw. einer der „Säulen des Lebenstempels“ an Stabilität verlieren könnte, und was man konkret dagegen unternehmen kann, werde ich jetzt näher am Beispiel „der Lebenssäule der Partnerschaft“ darstellen.

Was meine ich eigentlich „mit dem Verlust der Stabilität der Lebenssäule im Lebenstempel“? – Dies ist ganz einfach zu erklären.

Nehmen wir Beispielsweise „die Säule der Partnerschaft“ für sich allein unter die Lupe.

Die Auseinandersetzung oder die ständigen Streitigkeiten in der Partnerschaft können zu einem kleinen „Lebens-Ungleichgewicht“

führen. In extremen Fällen kann es sogar eine Lebenskrise hervorrufen.

Dies spiegelt sich zuerst im Empfinden des Menschen wieder.

Die Streitigkeiten oder die Meinungsverschiedenheiten in der Partnerschaft sind keinesfalls was Negatives. Es ist ein Zeichen für die Autonomie beider Partner.

Die eigene Meinung zu haben ist angebracht. Man darf aber nicht dem Anderen (hier ist die Lebenspartnerin oder Partner gemeint) zur Liebe immer nur zustimmen, weil es in sich die Gefahr birgt, dass man sich selbst irgendwann verliert und in einem extremen Fall die eigene Persönlichkeit aufgibt.

Empfehlenswert in Sachen der Auseinandersetzung in der Partnerschaft ist, sich einfach Zeit zu nehmen und die Sache ohne das Vorhandensein der negativen Emotionen nüchtern zu betrachten. Meisten hilft da ein Gespräch unter vier Augen mit der Partnerin/mit dem Partner weiter.

Manchmal aber kann die Auseinandersetzung nicht ohne Weiteres geschlichtet werden, da es einfach Menschen gibt, die einfach Recht behalten wollen und sich kaum in die Lage des Anderen reinversetzen können.

Dieses Fehlen von der Einfühlsamkeit bei manchen Menschen und die dominante Art und Weise, wie sie gegenüber den anderen auftreten, kann dazu führen, dass der Gesprächspartner eingeschüchtert wird. Dies kann in extremen Fällen Menschen mit wenig Selbstbewusstsein in eine ungünstige Lage bringen. Damit meine ich, dass diese Menschen, die sich einschüchtern lassen, irgendwann auch daran festhalten und glauben, dass sie tatsächlich für bestimmte Probleme verantwortlich sind oder davon überzeugt sind, dass sie nicht so viel wert sind, was meist eigentlich nicht der Wahrheit entspricht.

Die Auseinandersetzungen in der Partnerschaft sind sehr wichtiges und zugleich umfangreiches Thema. Ich versuche trotzdem Dir liebe Leserin/ lieber Leser ein paar Impulse auf Deinem Weg zu geben, wie man dieses evtl. im Falle einer drohenden Auseinandersetzung in der Partnerschaft, noch schlichten kann.

Nachfolgend ein paar Tipps von mir.

Manche Tipps sind einfach sehr plausibel und auch einfach in der Ausführung, werden aber leider in der Lebenspraxis viel zu selten praktiziert.

**Zu meinen Tipps für die konstruktive Lösung bei der Auseinandersetzung in der Partnerschaft gehören unter anderem:**

***Sich einfach die Freiheit gestatten, sich erst einmal zurückzuziehen***

Im Falle einer Streitigkeit/einer Auseinandersetzung in der Partnerschaft hilft des Öfteren sich einfach zurückzuziehen.

Mit dem Rückzug kann man zunächst vermeiden, dass die überschüssigen negativen Emotionen, die sich aufgestaut haben, sich nicht noch mehr negativ verstärken.

Auf diese Weise kann die evtl. „emotionale Verletzung" einer oder beiden Partner erstmal vermieden werden.

Das Zurückziehen einer der Partner ist für mich keine Schwäche, sondern mehr eine Stärke eines Menschen.

Denn der Mensch zeigt damit, dass er es erst Mal für sich einfach über die Situation im Klaren werden möchte.

### *„Nach dem Regen kommt immer die Sonne“*

### *Ein ruhiges Gespräch suchen*

---

Eine weitere Möglichkeit für die konstruktive Auflösung einer Auseinandersetzung in der Partnerschaft wäre, nach dem Legen der überschüssigen Emotionen nochmal ein ruhiges Gespräch zu zweit zu suchen.

Falls dies nicht möglich ist, sollte man sich einfach die Zeit geben, bis der eine oder der andere Partner bereit für ein Gespräch ist.

Es zahlt sich auf jeden Fall aus, mit viel Geduld bei den Problemen und den Auseinandersetzungen jeglicher Art sowohl in der Partnerschaft als auch in den anderen zwischenmenschlichen Beziehungen vorzugehen.

## *Vielleicht doch ein Perspektivenwechsel*

Manchmal hilft einfach ein Rollenwechsel bzw. Perspektivenwechsel, um zu schauen, wie man handeln würde, wenn man an der Stelle von dem eigenen Partner wäre.

Es hilft schon, sich einfach in den anderen Partner einzufüllen, um ihn einfach mehr zu verstehen.

## *Und was, wenn die Auseinandersetzung doch unberechtigt war*

Manchmal basieren viele Auseinandersetzungen in der Partnerschaft auf den unberechtigten Vorwürfen, weil wir einfach allgemein im Alltag überlastet sind und an der falschen Stelle unseren Frust jeglicher Art unberechtigt manchmal auch unbewusst rauslassen.

Es ist nicht selten, dass meist derjenige das abbekommt, der am wenigsten dafürkann.

Darum wäre es wichtig in sich selbst reinzuhorchen, indem man den Tag nochmals Revue passieren lässt.

Wenn man bewusst sich den Tag vergegenwärtigt, kann man den tatsächlichen Auslöser für unsere Befindlichkeit identifizieren. Dadurch bekommt man die Klarheit, ob die Auseinandersetzung in der Partnerschaft doch nicht zu Unrecht war.

## *Nach einer neutralen Meinung suchen*

Möglich bei der Suche nach positiver Auflösung einer Auseinandersetzung in der Partnerschaft wäre ein Gespräch mit Hilfestellung von anderen Menschen zu suchen, z.B. bei den Freunden oder noch besser bei Menschen, die uns nicht so gut kennen, die eher eine neutrale Meinung zu dem Geschehen haben.

***Die Wege, um eine Beziehung zu erhalten***

Ich will gar nicht darauf eingehen, dass bei manchen Menschen bereits durch kleine Auseinandersetzungen die Beziehung einfach beendet wird.

So eine Lösung, ist die leichteste der Welt, aber ist diese auch die klügste oder sinnvollste?

Ich finde es sehr schade, dass man die persönliche Stärke nicht besitzt einfach ein wenig Verständnis für die Auseinandersetzung bzw. die konstruktive Lösung für die Auseinandersetzung aufzubringen.

Man sollte immer eine Beziehung „Pflegen", wie eine Rose, die auch Wasser braucht, um sich in ihrer vollen Pracht zu entfalten.

Die zwischenmenschlichen Beziehungen brauchen immer wieder viel Aufmerksamkeit.

Darum sollte man sich in einer Partnerschaft immer wieder ein wenig Zeit und Geduld schenken, um eine Partnerschaft zu stärken und ggf. auch zu erhalten.

Wenn aber die Auseinandersetzung doch berechtigt ist, und diese immer oder meist zu Unrecht eines Partners ausgeht, würde ich mir auch Gedanken machen, ob die Beziehung weiterhin auf Dauer Bestand haben kann.

Aber bevor man zur endgültigeren Lösungen, wie einer Trennung greift, sollte man zunächst tief durchatmen und eine Verbindung zu eigenem Herzen aufnehmen.

Denn:

> *„Dein Herz ist ein Spiegelbild deiner tiefsten Sehnsüchte und Wünsche, die in dir schlummern.*

*Wenn Du deine Wünsche Realität werden lassen willst, vertraue bedingungslos auf die Stimme deines Herzens*

*und folge ihr ohne zu zögern.*

*Denn diese innere Stimme – die Stimme deines Herzens kennt dich mehr als du dich selbst zu kennen, glaubst.“*

*(M. Balaga)*

Konnten Sie bereits feststellen, dass sogar **DIE GEDANKEN, DIE SIE SCHON BEIM AUFSTEHEN BEGLEITEN, SICH UNMITTELBAR AUF IHREN ALLTAG AUSWIRKEN**?

*„Das Rezept zum Glücklich sein, hat durch unser Denken und dem daraus resultierenden Fühlen und Handeln, ihren Ursprung in uns Selbst.*

*Wer sich wünscht glücklich und positiv durchs Leben zu gehen, sollte achtsam mit seinen eigenen Gedanken umgehen."*

*(M. Balaga)*

## Kapitel 3 - Die Gedanken als grundlegender Baustein für unser Leben

Es gibt kein universelles Rezept, wie man ein erfülltes Leben führen kann, da jeder Mensch einzigartig ist und eigene Vorstellung vom Leben hat.

Was für jeden Menschen jedoch gemeinsam ist, ist die Tatsache, dass jeder von uns die Fähigkeit besitzt, zu denken.

Vieles, was wir Menschen denken, passiert meist unbewusst.

Aber die im Unterbewussten schlummernden Gedanken und Wünsche gelangen irgendwann in das menschliche Bewusstsein, und werden so zu sagen wahr, also führen zu Handlungen und Taten.

Die Gedanken sind so zu sagen die Grundlage der menschlichen Existenz.

Durch die Gedanken kann sich jeder eine eigene autonome Welt erschaffen.

Diese Lebenswelt kann glücklich gestaltet werden, wenn wir uns gute bzw. positive Gedanken machen.

Die wohltuenden Gedanken lösen nämlich positive Gefühle wie: Freude, Zufriedenheit oder Glück aus. Erfreuliche Gefühle steigern unser Wohlbefinden und zugleich auch unsere Lebensmotivation.

Mit der entsprechenden Motivation sind wir im Stande unser Leben so zu gestalten, wie wir es uns vorstellen und auch wünschen.

Des Weiteren sind Gedanken ein wichtiger Baustein für unsere Lebenseinstellung und für eine Einstellung zu uns selbst.

Nur wir alleine können entscheiden, welche Gedanken, Gefühle oder Emotionen wir zulassen.

Es liegt also ganz in unserer Macht, welche Gedanken wir uns dann bewusstmachen und dementsprechend handeln und anschließend fühlen.

Wir alleine sind dafür verantwortlich, wie wir unser Leben gestalten.

Und nur wir können entscheiden, ob wir auf unserer Vergangenheit und überholten starren und zugleich negativen Denkmustern beharren, oder aber „im Hier und Jetzt“ einen neuen Lebensweg bestreiten.

Kurz zusammengefasst lässt sich feststellen, dass es allein an uns liegt, wie wir unsere tägliche Wirklichkeit durch unser Denken beeinflussen.

Wichtig dabei ist es sich bewusst zu machen, dass negative Gedanken zu negativen Empfindungen führen und diese wiederum das schlechte Wohlbefinden hervorrufen können.

Dabei darf man nicht vergessen, dass der Mensch nicht unendlich viel Lebensenergie zur Verfügung hat.

Nichts ist so zu sagen unendlich. Auch unsere Lebensenergie ist leider begrenzt, sodass wir sinnvoll und bedacht unsere Ressourcen einsetzen sollten.

Darum wäre an dieser Stelle sehr empfehlenswert sich richtig bewusst zu machen, wie wir jeden Tag leben.

Leben wir in den Tag hinein?

Existieren wir nur vor sich hin?

Ist jede unserer Bewegung nur zur Gewohnheit geworden?

Ist das Leben auch eine reine Routine geworden?

Wenn Sie die Fragen mit „Ja" beantworten, dann sollten Sie sich so schnell, wie möglich es verinnerlichen, dass es so nicht weitergehen kann.

Meist erwacht der Mensch, erst nachdem etwas Schwerwiegendes in seinem Leben passiert ist (z.B. die Krankheit, der Tod der uns nahestehenden Menschen, die Kündigung usw.).

Durch solche negativen Ereignisse, wird der Mensch einfach wachgerüttelt, damit er die Augen öffnet und für sich einfach sein bisheriges Leben überdenkt.

Erst dann wird meist den Menschen deutlich, dass man längst das „alte bzw. bisherige Leben" hätte verändern müssen.

Das Gute und das Positive daran ist, dass es nie zu spät ist einen neuen Lebensweg einzuschlagen.

Auch wenn jeder von uns meist Jahre braucht, um zu Erkenntnissen zu gelangen, dass es eine Kursänderung im Leben nötig ist, ist es trotzdem von Bedeutung erst einmal alles zu erkennen und dem auch Aufmerksamkeit zu schenken.

Was ich damit sagen möchte ist, dass ein achtsamer Umgang mit unseren Gedanken große Auswirkung auf unser menschliches Dasein und unser Leben hat.

## *Die Kraft der Gedanken und ihre Auswirkung auf unser Leben*

Es gibt unzählige Gedanken und Gedankengänge, die wir uns Menschen tagsüber machen.

Diese Gedanken wirken sich unterschiedlich auf unser menschliches Befinden und dies sowohl auf den Körper als auch auf die Seele aus.

Deswegen sollten wir Menschen sensibel und zugleich bewusst mit unseren Gedanken umgehen.

Man sollte vielleicht nicht jeden Gedanken überprüfen, aber drauf achten, wie sich die für uns wichtigsten Gedanken persönlich anfühlen. Also ist der Gedanke kompatibel mit dem Gefühl, was wir während des Denkens fühlen.

Ein banales Beispiel dafür ist die folgende Behauptung bzw. ein folgender Gedankengang einer Mutter, die zu ihrem Sohn sagt: „Die Jungs weinen nicht".

Wie fühlt sich dieser Gedanke an?

Es wird immer von der Gesellschaft behauptet, dass die Jungs oder die Männer stark sein müssen und keine Schwäche zeigen sollten.

Entspricht das überhaupt der Wahrheit? Ist ein Junge nicht genauso wie ein Mädchen ein Mensch, der nicht aus Eis ist, und auch Gefühle, wie Traurigkeit zulassen darf?

Das war lediglich eine rhetorische Frage meinerseits.

Natürlich sind Jungs fühlende und sensible Wesen, sonst wären sie nicht menschlich.

Jeder Mensch hat Gefühle, nur manchmal entsteht in der Gesellschaft ein falsches Bild von dem menschlichen Geschlecht, denn es lässt sich einfach behaupten: „Die Jungs weinen nicht". Die Jungs genauso wie Mädchen haben aber Recht darauf seinen Gefühlen freien Lauf zu geben.

Wenn man schon in jungen Jahren solche Sprüche zu hören bekommt, lernt man nicht oder sehr schwer den Zugang zu den eigenen Gefühlen.

Auch der Umgang mit den Gefühlen, wird denjenigen mit der Zeit völlig fremd.

Für den Jungen bzw. für das Kind im Allgemeinen stellt eigene Mutter ein Vorbild dar. Alles oder fast alles was sie sagt, wird von dem Kind verstärkt in den ersten Jahren als richtig wahrgenommen.

Um den Ansprüchen der Mutter zu genügen, handelt das Kind nach den Wünschen und Vorstellungen der Mutter.

Die Folge daraus ist des Öfteren die Unterdrückung der eigenen Gefühle, was auf die Dauer sowohl für unsere Seele als auch unseren Körper total ungesund ist.

Die Gedanken an sich haben unheimliche Kraft und wirken sich auf den gesamten Menschen aus.

Darum:

*„(...) sollte (...man) immer den Mut haben zu den eigenen Gefühlen unabhängig vom Alter oder Geschlecht zu stehen.*

*Denn das uneingeschränkte Zulassen und das Ausleben der Gefühle wirkt sich sowohl positiv auf unsere Seele als auch auf unseren Körper aus.“*

*(M. Balaga)*

## *Die Gedanken als Basis für unsere Handlungen*

Die Gedanken, oder das was sich bei uns Menschen jeden Tag in unserem Kopf meist unbewusst abspielt, ist die Basis für unsere Handlungen.

Das was wir denken ist die Grundlage, für alles was in unserem Leben passiert.

Ich bin der Überzeugung, dass die Tatsache wie wir denken nicht nur für unser Befinden verantwortlich ist, sondern auch einen Einfluss auf die Art und Weise hat, wie wir unser Leben bestreiten oder gestalten.

Was behindert unsere Gedanken und dementsprechend unsere Handlungen?

Dazu gehören meiner Meinung nach die negativen Empfindungen, wie: Angst, Furcht, Zweifel oder Mangel an Selbstvertrauen.

Aber der allergrößte Feind von unseren Gedanken ist meiner Ansicht nach die Angst in allen ihren Erscheinungsformen oder Variationen.

Die Angst kann übertrieben ausgedrückt zerstörende Wirkung haben und den Menschen einfach in seinen täglichen Aktivitäten insoweit behindern, dass der Mensch sich wie gelähmt fühlt. Dadurch wird es ihm schwerfallen, sein Leben ohne Weiteres zu leben und sich im Leben was zuzutrauen oder zuversichtlich in die Zukunft zuschauen.

Die Angst kann sehr schädlich für unser Leben sein, deswegen sollten wir uns mit diesem Phänomen genauer befassen und überlegen, was sich hinter der Angst eigentlich verbirgt.

Die Angst ist eine menschliche Empfindung, die durch verschiedene Situationen ausgelöst wird.

Ein wenig Angst zu haben ist normal, aber manchmal steigert sich der Mensch dermaßen rein, dass er keinen Realitätsbezug mehr hat oder sogar den Realitätsbezug zum Leben verliert.

In solchen Momenten hilft einfach Ruhe zu bewahren, versuchen einen klaren Kopf zu kriegen und sich kurz eine Frage zu stellen: „wie das wäre, wenn die Angst plötzlich über Nacht sich auflösen würde."

Oder andere Möglichkeit wäre, sich aktiv der Angst zu stellen, indem man diese Angst unter die Lupe nimmt und sie hinterfragt,

z.B.

ist die Angst berechtig?

wieso empfinde ich diese Angst?

Was ist der Grund für diese Empfindung?

Falls wir den Grund für unsere Angstempfindung klar definieren können, sollten wir uns genau diesen Grund anschauen und uns auf diese Weise der Angst stellen.

Meist tritt die Angst lediglich als Begleiterscheinung ein, die seinen Ursprung im menschlichen Urinstinkt hat und vergeht auch sehr schnell wieder.

Deswegen sollten wir unseren Mut zusammennehmen und einfach keine Angst vor der Angst zu haben.

Denn es ist nur ein Gefühl, was von uns Menschen wieder in die richtige Bahn gelenkt werden kann oder jeder Zeit ins Positive transformiert werden kann. Nur wer alle Gefühle zulässt auch die negativen Gefühle wie Angst, schafft eine gute Voraussetzung für ein zufriedenes und ausgeglichenes Leben.

## Gefühle richtig fühlen

Sind Sie immer **AUTHENTISCH?**

Stehen Sie immer zu Ihren **GEFÜHLEN?**

*„Die vielfältigen und zahlreichen Gefühle, die uns tagtäglich auf unser Lebensreise begleiten, sind wie unser Spiegelbild oder unser Schatten.*

*Sie täuschen fast nie, aber man muss sie richtig fühlen, wahrnehmen und auch zulassen.“*

*(M. Balaga)*

## Kapitel 4 - Die Gefühle und ihre Rolle im Leben

Es ist einfach eine Kunst eigene Gefühle zu offenbaren und diese auch dementsprechend zu benennen.

Kennen Sie die Situationen, in denen sie eigentlich traurig sind, aber das Gefühl nicht zulassen.

Stattdessen lächeln sie aus Verlegenheit, weil weinen, eine „vermeintliche Schwäche" wäre?

Die Gefühle zu unterdrücken ist einfach ungesund.

Man sollte aktiv und achtsam im Kontakt zu seinem eigenen Körper und der Seele stehen, nur so kann man rechtzeitig auf die wertvollen aber meist versteckten Signale reagieren.

Diese Signale werden einfach von unserem Körper/unserer Seele gesendet, sei es in Form von Träumen, oder aber in Form von spürbaren Beschwerden wie: chronische Magen-Darm-Probleme, Kopfschmerzen, Schwindelgefühl oder Schlafstörungen.

Manchmal haben wir Menschen ein Gefühl, dass in uns irgendwas vorgeht, aber wir behaupten fest, wir wissen nicht was das ist.

Was aber uns klar ist, ist die Tatsache, dass es uns mit dieser Situation nicht gut geht.

Ein interessantes Phänomen, was wert ist sich es genauer anzuschauen.

Wieso können Menschen nicht immer gleich unsere vor allem die negativ empfundenen Gefühle identifizieren - Ist das etwa eine Schutzreaktion?

Der Mensch an sich gesteht sich von selbst ungern unangenehme Sachen.

Der Mensch ist zusätzlich ein Wesen, das sich auch ungerne auf unbekannte Gewässer begibt.

Was ich damit sagen will, ist, dass wir Menschen von Natur aus uns an Sachen schnell gewöhnen und sie ganz gewöhnlich als gegeben betrachten sowie diese nach Möglichkeiten nicht aufgeben wollen.

Wissen wir eigentlich tatsächlich, wenn wir behaupten: in mir geht irgendwas vor und mir geht es damit schlecht, was mit uns tatsächlich los ist? Es ist eine gute aber zugleich eine schwierige Frage. Es ist eine Frage die von Situation zu Situation neu betrachtet werden muss.

Es gibt wirklich Situationen in denen man total unbewusst ist und dann weißt man tatsächlich nicht, was der Grund für unser schlechtes Befinden ist.

Diese Situation tritt meiner Meinung nach ganz am Anfang, wenn das ganze Geschehen noch ganz frisch ist.

Kommt es aber zu einem wiederholten Geschehen in unserem Leben und wir behaupten weiterhin, dass etwas in uns los ist, was uns nicht guttut. Zugleich sagen wir: wir kennen den Grund für unser schlechtes Befinden nicht. In diesem Fall würde ich sagen, dass wir wohl den Übeltäter für unser schlechtes Befindens kennen, und sogar identifizieren könnten.

Aber wir trauen uns es nicht auszusprechen, was der Natur des Menschen vollkommen entspricht.

Wichtig im Leben ist ein bewusster und ein ehrlicher Umgang mit unseren Gefühlen.

# Jede Erfahrung im Leben ist einzigartig und individuell

## Kapitel 5 - Die Erfahrungen und ihre Rolle im Leben

Es gibt vielerlei Erfahrungen, die wir Menschen in diesem Leben machen dürfen.

Wie wir unsere Erfahrungen emotional gewichten, hängt selbstverständlich von unseren individuellen und bisherigen durchlebten Erfahrungen und somit persönlichen Empfindungen ab.

Die emotionale Gewichtung unserer Erfahrungen im Allgemeinen wird entweder als was Positives oder Negatives wahrgenommen.

Jede Erfahrung ist einzigartig und da wir Menschen Individuen sind, ist jede durchlebte Erfahrung für jeden Menschen anders fühlbar.

Dieses kann man am Beispiel des Fallschirmsprungs ganz gut erklären.

Für den einen, der auf extreme Erlebnisse steht, ist der Fallschirmsprung was Einmaliges und zugleich mit einem positiven Gefühl verbunden. Dagegen ist für den Anderen, der evtl. Höhenangst hat, wiederum der Fallschirmsprung eher als was Negativ empfindsam.

Also das was für den Einen gut sein kann, muss für den anderen nicht unbedingt positiv sein.

Ich will damit unsere Individualität als Mensch nochmals betonen.

Wir dürfen nicht vergessen, dass wir Individuen sind. Und auch wenn wir Alle mit dem gleichen Wasser kochen, sind wir doch unterschiedlich und zugleich einzigartig.

Und diese Einzigartigkeit sollten wir beibehalten und unsere eigenen Erfahrungen machen und nicht das machen, was andere für uns für richtig halten.

Hierzu passt ein Stichwort:" nicht mit der Masse mitgehen".

Mit der Masse gehen, heißt sich den anderen anzupassen, sich in irgendwelche fremden Verhaltensweisen zu zwängen und auf die eigene Meinung zu verzichten.

Irgendwann besteht die Gefahr, dass wir uns selbst vor lauter Einflüsse verlieren.

Die Folge daraus ist die reine Tatsache, dass wir uns irgendwann die essentiellen Fragen stellen sollten z.B.:

„wer bin ich noch?",

„wo ist meine individuelle Art geblieben",

„Lebe ich eigentlich noch mein eigenes Leben, oder lebe ich ein Leben, das z.B. von anderen wie z.B. Eltern, Partner usw. für mich vorgesehen ist?

Diese Fragen sind berechtigt und notwendig, um zu erkennen, dass jeder Mensch seine eigenen Erfahrungen machen soll.

Dabei ist es wichtig zu erkennen, dass vor allem die negativen Erfahrungen nicht unbedingt als Fehler angesehen werden sollten.

Meiner Ansicht nach kann ein „vermeintlicher Fehler“ mit eher einer negativ empfundenen Erfahrung gleichgesetzt werden.

Die angeblichen „Fehler“ bzw. die negativ durchlebten Erfahrungen erlauben meiner Ansicht nach einen Rückblick auf unser Leben und unsere Vergangenheit. Die Fehler“ erlauben wichtige Erkenntnisse und können zu einer positiven Kursänderung auf unserer Lebensreise beitragen.

Man muss allerdings diese Fehler zunächst erkannt haben und dann sollte man diese Fehler für sich individuell analysieren und dann diese auch zugleich akzeptieren.

Wenn diese Basis geschaffen ist, dann kann man aus den „Fehlern“ lernen und gestärkt durchs Leben gehen.

Wenn es keine negativen Erfahrungen im Leben gäbe, dann würden wir Menschen nicht wirklich spüren und würdigen, was eine positive Erfahrung eigentlich für uns Menschen bedeutet.

Und was noch viel wichtiger ist, ist die Tatsache, dass ohne die negativen Erfahrungen, würden wir in unserem Leben nichts Neues erfahren und wir würden uns zugleich auch persönlich nicht weiterentwickeln können.

Den ganzen Prozess nennt man Stagnation und dieser bringt automatisch die Unzufriedenheit in das Leben mit.

Da das Ziel dieses Buches „ein erfülltes und glückliches Leben“ ist, möchte ich Sie an dieser Stelle ermutigen das Gefühl der Angst, sowie die „vermeintlichen Fehler oder die negativen Erfahrungen im Leben zu vermeiden, abzulegen.

Denn die negativen Erfahrungen sind für den Menschen notwendig, um bestimmte Sachen im Leben zu erkennen.

Das Erkennen ist meiner Ansicht nach der erste Schritt in Richtung: Zufriedenheit, Leichtigkeit und Erfüllung im eigenem Leben.

Damit wir glücklich durch Leben gehen können, sollten wir selbst das Steuer unseres Lebens in die Hände nehmen.

Wenn die Gewässer des Lebens manchmal tief und gefährlich sein können und ein heftiger Wind unser Schiff auf unserer Lebensreise ins Wanken bringen sollte, sollten wir trotzdem Mut fassen und voller Zuversicht unsere Lebensreise fortsetzen.

Es lohnt sich ohne lange zu überlegen die Lebensreise fortzusetzen, denn wie schon eine bekannte Weisheit sagt: „Nach dem Regen kommt immer die Sonne“ steckt nur Wahres drin.

Es liegt alleine an uns und nur wir alleine sind die eigenen Kapitäne unseres Bootes auf der langen Lebensreise. Und nur wir alleine können unsere Lebensreise so unvergesslich und einmalig, wie möglich gestalten.

## Von Unzufriedenheit zur Erfüllung

Welche Sprache lassen Sie reden, wenn Sie UNZUFRIEDEN sind?

*Wenn Du die Unzufriedenheit in die Erfüllung transformieren willst, solltest Du immer der leisen Stimme deines Herzens folgen.*

*Denn diese leise Herzensstimme ist wie eine Kerze in der dunklen Nacht.*

*Sie bringt immer Licht in unser Leben, damit wir auch zweifellos im Dunkeln den richtigen Weg finden können."*

*(M. Balaga)*

## Kapitel 6 - Die Suche nach den Gründen für die Unzufriedenheit

Nach dem Prinzip: „ohne Ursache keine Wirkung“ können die kleinen Unstimmigkeiten oder die Unklarheiten im Leben einen wesentlichen Einfluss auf das Empfinden des Menschen haben.

Wieso werden wir unzufrieden oder unglücklich?

Der Mensch kann plötzlich unzufrieden werden und oft ist es ihm lange unbewusst, was die wirkliche Ursache für diesen Zustand ist.

### *Wege um die Unzufriedenheit im Leben aufzudecken*

Es hängt natürlich von der Art der Menschen an sich und derer Lebenseinstellung ab, wie sie mit eigener Unzufriedenheit umgehen.

Manche Menschen ziehen sich zurück, und versuchen alles für sich alleine zu überdenken, zu analysieren und schließlich zu regeln.

Andere wiederum beziehen andere in die eigenen Probleme mit ein.

Diese Vorgehensweise ist von Vorteil, solange man im Endeffekt eine eigene Lösung für die eigene Unzufriedenheit anwendet und sich nicht von den anderen beeinflussen lässt.

Die heutige Gesellschaft ist sehr verschlossen, die Menschen haben Angst den Anderen etwas anzuvertrauen.

Viele Menschen sagen sogar, ich kann mich heutzutage eigentlich nur auf mich verlassen.

Aber das Reden und den Rat von anderen einzuholen ist immer von Vorteil. Manchmal übersieht man einfach selbst wichtige Hinweise.

Ein Gespräch mit einem Freund oder einem Bekannten bringt auf jeden Fall mehr Erkenntnisse sowie die anderen Sichtweisen für das eigene Anliegen.

Der Faktor Zeit spielt dabei auch eine große Rolle. Wenn wir uns ein Problem aus der Vergangenheit nach Jahren vor Augen führen, sehen wir die Sache mit Sicherheit im ganz anderen Licht, wie damals wo das Problem gerade aktuell oder akut war.

Deswegen ist es umso wichtiger die Ursachen für die Unzufriedenheit (sei es mit eigenem Leben, oder mit dem Leben unseres Partners, oder dem Leben unseres Kindes) nach Möglichkeit rechtzeitig bewusst wahrzunehmen und zu hinterfragen, um für sich zu einer konstruktiven Lösung zu gelangen.

Natürlich ist es eine große Herausforderung sich mit den eigenen Problemen so auseinanderzusetzen, dass man anschließend zu einem zufriedenstellenden Ergebnis für das jeweilige Problem gelangen kann.

Das erfordert viel Geduld und Zeit, in der man kostbare Erkenntnisse gewinnt.

## *Der Unzufriedenheit auf der Spur*

Wenn wir unserer Intuition/unserem Bauchgefühl jeden Tag treu bleiben würden, dann müsste uns eigentlich gut gehen. Natürlich gibt es auch ab und an schlechte Tage in unserem Leben, aber wie können wir diese vermeiden?

Ich bin der Meinung, dass damit uns gut geht, müssen wir in uns genau reinhorchen.

Also der achtsame Umgang nicht nur mit sich selbst, sondern mit anderen Menschen wäre hier meine klare Empfehlung.

Eine Unzufriedenheit zu erkennen, heißt unter anderem die bestehende Situation bewusst unter die Lupe zu nehmen, und diese auch bewusst zu analysieren.

Dafür sollten wir uns in Ruhe hinsetzten und die Antwort in unserem Herzen suchen.

In Sachen Unzufriedenheit erkennen, sollte man sich einfach eine bestehende Situation vor Augen führen und schauen, wie sich diese in unserem Herzen anfühlt.

Unsere Intuition/die Herzensstimme ist bei dem Erkennen von unserer Unzufriedenheit sehr wertvoller Begleiter. Dieser Begleiter kann bei der „Unzufriedenheits-Analyse" sehr behilflich sein.

Man darf nicht alles alleine den Kopf, also rational beurteilen und entscheiden lassen. Darüber hinaus sollten wir auf Zeichen unseres Körpers reagieren und auf ihn Acht geben, weil uns der Körper wertvolle Zeichen sendet bzw. gibt.

Wenn wir im Einklang mit unserem Körper und unserem Geist sind, können wir diese Zeichen bewusst für uns deuten. Wichtig dabei ist, dass wir dabei sich „selbst treu bleiben".

Was hat das „sich selbst treu bleiben" mit dem Erkennen einer unzufrieden stellenden Situation zu tun? Meine Antwort lautet: „viel".

Wenn man sich nämlich treu bleibt und sich nicht verstellt, und aus dem Herzen agiert, sieht man alles im reellen Tageslicht (also die Situation, so wie sie tatsächlich ist).

Man behält auch dabei den Überblick und kann somit mit gewisser Zuversicht an die jeweilige Situation rangehen. Wichtig dabei ist noch, dass man eine bestehende bzw. „schlechte Situation" ohne jegliche im Voraus Wertung, also neutral analysiert.

Es ist manchmal empfehlenswert, andere Menschen zu fragen, wie sie unsere Situation sehen. Fremde Menschen sehen das Alles aus einer anderen neutralen Perspektive. Im Endeffekt wissen wir selbst bzw. unsere Herzensstimme/Bauchgefühl/Intuition am besten was für uns gut ist.

### *Etwas gegen die Unzufriedenheit unternehmen*

Die Unzufriedenheit bzw. die schlechte Situation kann meistens aber nicht immer sofort erkannt werden. Man darf sich aber nicht andauernd über das Schlechte im Leben beschweren, sondern man muss aktiv werden und sich der eigenen Lage bewusstwerden.

Was viele Menschen machen, ist: Klagen, anstatt zu handeln. Natürlich ist uns öfters der Grund für unsere Unzufriedenheit nicht gleich bewusst, aber wenn man sich länger mit der Situation auseinandersetzt, kann sich der Übeltäter, der für unsere Unzufriedenheit verantwortlich ist, herauskristallisieren.

Man braucht selbst viel Zeit für die zu analysierende Situation und natürlich viel Geduld mit sich selbst. Nur auf diese Weise kann man zu einem konstruktiven Ergebnis für die jeweilige zu lösende Situation gelangen.

### *Wie identifiziert man einen Fehler*

Zu der Thematik der Unzufriedenheit bzw. die schlechte Lage zu erkennen, gehört auch das Thema, die Fehler identifizieren um ggf. die Vorgehensweise bei der Lösung eines Problems positiv zu beeinflussen.

Oft wissen wir auf Anhieb, was uns stört oder mit welcher Problematik wir zu tun haben, sodass wir diese Schwierigkeit ohne weiteres angehen können.

Es gibt im Leben aber unzählige Situationen in denen das Problem nicht gleich sichtbar ist, und sich leider nicht leicht **identifizieren** lässt.

Es gibt leider kein Rezept, wie man bei Problemlösung vorgehen soll, aber im Laufe meines Lebens habe ich diesbezüglich eigene Erkenntnisse gewonnen, die ich gerne weitergeben möchte.

Zunächst ist es wichtig, dass wir mit uns selbst ehrlich in Bezug auf unser Befinden sind.

Was hat unser Befinden mit der Lösung eines Problems zu tun?

Die Antwort lautet: Das Befinden ist das Entscheidende, was in schwierigen Situationen zählt.

Fühlen wir uns schwach oder geschafft, ist es keine gute Grundlage für die weitere Vorgehensweise beim Finden einer Lösung für ein Problem.

Um sich mit einem zunächst nicht leicht identifizierbarem Problem auseinanderzusetzen, brauchen wir, unsere innere Kraft und einen klaren Durchblick. Meist hilft in solchen Situationen, in welchen wir kraftlos sind erst einmal Abstand von dem noch „unbekannten Problem“ zu nehmen.

In solchen Situationen würde ich empfehlen, einfach sich zunächst von dem Problem zu distanzieren, in dem man zuallererst sich an einen neutralen Ort begibt, um neue Kraft zu schöpfen und sich dann erst in dem zweiten Schritt mit den neuen und frischen Gedanken bzw. voller Energie das Problem eingrenzen.

Und wenn wir Vermutung haben, was das Problem sein könnte, dann sollten wir einfach schauen, wie sich es anfühlt ohne den angeblichen Ballast bzw. ohne das Problem an dem neutralen Ort.

Hilfreich bei solchen Situationen sind auch Fragen solcher Art:

wenn sich über Nacht das Problem spontan in Luft auflösen würde, wie würde es mir persönlich gehen?

Was würde ich denn dann privat oder beruflich tun?

Manchmal ist einfacher das Problem umzugehen, in dem man sich die ideale Situation, ohne Vorhandensein des Problems, vorstellt.

Des Weiteren ist es wichtig bei der Lösung der schwierigen oder zunächst der unsichtbaren Probleme sich einfach Zeit zu lassen und vor allem kleine Schritte zu machen bzw. zu gehen.

Wie schon erwähnt, z.B. erst sich vom Problem zu distanzieren, dann Kraft schöpfen und dann mit neuer Kraft an das Problem, mit kleinen Schritten, rangehen. Wenn sich das Problem eindeutig herauskristallisiert, ist es wichtig das Problem zu kommunizieren.

Die Kommunikation ist im Leben das „A und O", denn wir Menschen können nicht einfach die Gedanken des Anderen lesen.

Falls wir mit der Kommunikation des Problems nicht weiterkommen, sollten wir Andere um ihre Meinung bzw. ihre Hilfestellung bitten.

Falls dies nichts bringt, sollten wir uns überlegen ob wir ggf. einen nicht ganz anderen Weg gehen sollten. Mit dem „anderen Weg gehen“, meine ich z.B.: beruflich zu überlegen ob ein anderer Job für uns in Frage kommt, auch wenn dieses von uns in manchen Fällen schon ein wenig Mut abverlangt.

Oder ob wir einfach, etwas was wir sonst gerne in der Freizeit machen, also unser Hobby, einfach zu unserem Job machen, und somit unsere Berufung leben.

Im privaten Bereich bzw. in einer Partnerschaft (sei es die Ehe oder die Freundschaft) könnten wir Erstens eine Auszeit nehmen, falls es nicht anders geht.

Zweitens mehr Akzeptanz und mehr Verständnis für den anderen Partner aufbringen.

Denn man kann den anderen nicht ändern, und diese Tatsache sollte man einfach akzeptieren.

Wir sollten den anderen einfach so nehmen, wie er einfach ist mit all seinen Schwächen und Stärken.

Drittens könnte man, sich einfach selbst Zeit geben und sich dann in dieser Zeit verstärkt ausschließlich den eigenen Sachen zuwenden. Auf diese Weise kann man wieder zu einander finden.

Denn:

> *„Wenn man den anderen Menschen einfach Freiraum und Zeit schenkt, kann man herausfinden, ob die zwischenmenschliche Beziehung doch stark genug ist, um weiter zweifellos zu bestehen.“*
>
> *(M. Balaga)*

## *Meine simple Methode, um die Glücksmomente zu erkennen*

Ich habe für mich eine einfache Methode entwickelt, um die Glücksmomente in meinem Leben festzustellen.

Ein sehr guter Indikator dafür sind z.B. die Fotos.

Man sollte sich genau die Abzüge anschauen. Auch wenn diese eine Momentaufnahme sind, kann man meiner Meinung nach daraus erkennen, wie man sich zu einer exakten Zeit fühlte.

Auf einem Foto ist das äußere Erscheinungsbild und das Auftreten zu erkennen und diese verraten oftmals viel über den Menschen und sein Empfinden.

Eine Fotografie bildet zwar nur einen Moment ab, aber wenn wir uns zusätzlich eine Reihe von darauffolgenden Fotos anschauen, bekommen wir ein genaueres Bild von der zu analysierenden Situation.

Beim Anschauen von Fotos sollten wir Vergleiche anstellen, so wie wir es aus der diversen Fernsehen-Werbungen kennen.

Zu vergleichen wäre die Situation davor mit der Situation danach (Davor und Danach-Vergleich). Man sollte zwar nicht in der Vergangenheit leben, aber aus der Vergangenheit Rückschlüsse ziehen und daraus lernen.

Darum ist es trotzdem empfehlenswert die Fotos aus der Vergangenheit anzuschauen und z.B. mit der aktuellen Situation zu vergleichen.

Ich habe für mich entdeckt, dass ich mal zu einem bestimmten Zeitpunkt sehr glücklich war. Und als ich die Fotos von damals mir genau angeschaut habe, ist mir gleich aufgefallen, dass ich fast auf jedem Foto herzhaft lächle und total fröhlich bin (das habe ich von der Körperhaltung abgeleitet).

Um mich genauso gut zu fühlen, habe ich aus diesen fröhlichen Fotos eine Collage gemacht und an die Wand aufgehängt. Und wenn es mir nicht gut ging oder ich einen schlechten Tag mal hatte, habe ich jedes Mal die Collage bzw. meine Fotos betrachtet. Dabei habe ich mir vorgestellt, dass es nicht unmöglich ist sich auch in hier und jetzt einfach gut zu fühlen.

**Auf der Suche nach dem Sinn des Lebens**

Was ist Ihre **TIEFSTE SEHNSUCHT**, die nur ungeduldig wartet um gelebt zu werden?

## Kapitel 7 – Auf der Suche nach dem Sinn des Lebens- Lässt sich das Leben in eine allgemeingültige Lebensformel zwängen?

Gibt es eigentlich eine allgemeingültige Lebensformel, die das Leben in all seinen Facetten erfassen kann?

In der Mathematik und der Physik können unterschiedliche Sachverhalte als Formel beschrieben werden.

Kann auch das Wunder Leben in eine Formel gezwängt werden?

Lange Zeit dachte ich, dass dies möglich ist. Inzwischen aber bin ich zu der Überzeugung gekommen, dass das Leben dafür viel zu komplex ist.

Es gibt natürlich immer wieder Regelmäßigkeiten, die sich bei allen Menschen erkennen lassen. Das Alleine reicht aber nicht, um das Leben, in eine Formel zu zwängen.

Auch wenn wir Menschen immer wieder ähnliche Situationen erleben, die einfach den normalen Lauf des Lebens beeinflussen, gibt es trotzdem noch Sachen im Leben, die sich mit dem menschlichen Verstand nicht erklären lassen.

Nun alles auch das Unfassbare, Unerklärbare, alles was nicht mit Verstand erfasst werden kann, gehört zu unserem Leben dazu.

Trotz der wiederholten Muster und der Regelmäßigkeiten im Leben jedes Menschen bin ich der Meinung, dass es keine allgemeingültige Lebensformel jemals geben wird.

Denn jeder Mensch für sich ist Einzigartig, unverwechselbar und lebt nach seinen eigenen Wünschen, Träumen und Vorstellungen.

## Die Liebe

Was TREIBT SIE im Leben **wahrhaftig** an?

---

## Kapitel 8 - Die Liebe als die wesentliche Kraft, die unser Leben ausmacht

Es liegt in Natur jeden Menschen, dass er wahrgenommen und geliebt werden möchte.

Jeder Mensch sehnt sich nach der Liebe und der Zuneigung.

Wir Menschen sind nicht dafür geschaffen das Leben ganz allein zu bestreiten. Natürlich fühlen wir uns ab und an von unserem Leben herausgefordert und alles wächst uns manchmal über den Kopf hinaus, sodass wir uns ab und an wünschen auf der einsamen Insel zu sein, ohne jegliche Zivilisation.

In diesem Wunsch steckt auch ein wenig Wahrheit drin.

Der Mensch braucht auch tatsächlich Zeit nur für sich, um das Erlebte Revue passieren zu lassen und gegebenenfalls aus dem Vergangenem/Passiertem zu lernen.

Ein Urlaub auf einer einsamen Insel wäre jedoch auf Dauer ein Verstoß gegen Menschenwürde und der Natur des Menschen. Der Grund dafür ist einfach die Tatsache, dass der Mensch ein soziales Wesen ist und er braucht dementsprechend soziale Kontakte und andere Menschen um sich herum.

Ein Dauerurlaub auf einer einsamen Insel wäre gleichzeitig ein Verstoß gegen All das was uns zu Menschen macht. Wir brauchen z. B. die anderen Menschen um Erfahrungen zu machen und von den anderen auch zu lernen (genauso, wie das Kind von den Eltern lernt).

Wir Menschen sind ein Teil der Natur. Wie die Natur z.B. die Blume oder der Baum „Nahrung“ brauchen (Sonne, Wasser), brauchen wir Menschen eine gewisse „Nahrung“. Hiermit meine ich nicht die tägliche Nahrung: wie das Brot oder die Milch, sondern „eine Nahrung im übertragenem Sinne“.

Diese spezielle Nahrung, der jeder Mensch braucht, hängt meiner Meinung nach mit der liebevollen Wahrnehmung des eigenen Ich's und der verständnisgeprägten und liebevollen Wahrnehmung des Anderen.

Hier spielen die Anerkennung, die Zuneigung, der Respekt und die wahre bzw. bedingungslose Liebe die Wesentliche Rolle.

Wenn der Mensch keine Anerkennung und keine Liebe erfährt, versucht er nach der Anerkennung und der Liebe selbst zu streben und dieses auf „eigene Kosten".

Mit den eigenen Kosten meine ich nichts anderes als die Art und Weise, wie sich der Mensch gegenüber dem anderen Menschen darstellt oder versucht darzustellen. Was meine ich damit? Viele Menschen versuchen sich so darzustellen, wie die anderen uns gerne hätten, damit sie die nötige Anerkennung bekommen.

In extremen Fällen kann es passieren, dass wir uns soweit verändern oder „verbiegen“ nur um den anderen zu gefallen, sodass wir uns dabei selbst vergessen können oder auf „der Durst–Strecke des eigenen Lebens“ bleiben.

Was sollten wir tun, damit es nicht so weit kommt?

In Nachfolgendem ein paar Ideen von mir, wie man bei sich bleiben kann, und was man alles machen kann, um die extreme und negative Veränderung eigener Person zu vermeiden.

**Hier ein paar Anregungen von mir:**

***Nehmen Sie das Eigene-Ich bewusst wahr***

Wir sollten uns erst selbst bewusst wahrnehmen mit allen unseren Bedürfnissen, sodass wir ein Gefühl für Sachen entwickeln, die uns dann wirklich guttun und aus der wir unsere positive „Lebenskraft bzw. Lebensenergie" rausziehen können, um mehr Glück im Leben zu empfinden.

***Entwickeln Sie eine Prise gesunden Egoismus***

Eine Priese eines gesunden Egoismus sollten wir in uns wecken und dann in bestimmten Situationen danach auch leben. Dadurch könnten wir uns selbst ein wenig emotional entlasten und automatisch mehr Leichtigkeit im Leben erreichen. Hierzu gehört auch das Thema: „Nein-Sagen können".

Man muss nicht immer alles bejahen, um anderen zu Gefallen. Wenn der Andere uns wirklich schätzt und wirklich respektiert, wird er „unser Nein“ verstehen und akzeptieren.

Denn:

> *„Wer auch ‚Nein‘ sagen kann, zeigt seine wahre Stärke. Denn durch Nein- Sagen zeigen wir, dass wir uns selbstlieben und akzeptieren und somit für uns vollkommen und wahrhaftig sorgen können.“*
>
> *(M.Balaga)*

## *Akzeptieren und lieben Sie sich zunächst selbst*

Wir sollten uns selbst akzeptieren und lieben so wie wir sind. Wenn wir uns selbst nicht werteschätzen, dann wird der andere es auch nicht tun.

Darum sollten wir diesbezüglich einen liebevollen Umgang mit sich selbst jeden Tag praktizieren. Nur so können Andere uns tatsächlich mit Akzeptanz, Respekt und Liebe begegnen.

## *Wählen Sie bedacht ihre sozialen Kontakte*

Wir sollten uns mit Menschen umgeben, die uns akzeptieren und lieben, so wie wir tatsächlich sind. Wir sollten uns im Klaren darüber werden, wer uns wirklich guttut und wer nicht.

Menschen, die zu uns passen erkennt man daran, dass man so zu sagen auf Anhieb auf derselben Wellenlänge ist. Bei der Auswahl des eigenen sozialen Umfeldes sollten wir uns auf unser Gefühl/unsere Intuition verlassen.

### *Leben Sie eine eigene Einzigartigkeit*

Bleiben Sie sich selbst treu und gestalten Sie ihr Leben nach den eigenen Idealen, Träumen und Wünschen. Nur auf diese Weise können wir unsere Einmaligkeit als Mensch aufrechterhalten. Bleiben wir als Mensch individuell, wird unser Leben dadurch erfüllter, denn wir leben dadurch ausschließlich nach unseren Vorstellungen und unseren Träumen.

### *Bringen Sie die Akzeptanz dem Anderen gegenüber auf*

Es ist positiv, wenn man nachvollziehen und akzeptieren kann, dass jeder Mensch so ist, wie er ist. Wenn wir den Menschen so akzeptieren, wie er tatsächlich ist, fällt es uns vielleicht leichter zu verstehen, dass wir nicht im Stande sind es jedem recht zu machen. Dadurch kann wiederum unser Leben an Leichtigkeit gewinnen.

## Die Suche nach Glück und Erfüllung

Was lässt Ihr **HERZ** wirklich **HÖHERSCHLA-GEN?**

---

## Kapitel 9 – Auf der Suche nach dem Glück und Erfüllung- Ist ein glückliches und erfülltes Leben zu erreichen?

Ob ein glückliches und ein erfülltes Leben zu erreichen ist, ist keine Frage.

Die Frage, die sich hier wirklich stellt, ist ausschließlich die Frage nach dem „wie?" Also wie kann man glücklich und erfüllt durchs Leben gehen?

Diese Frage ist wesentlich schwerer zu beantworten, da dieses von mehreren Faktoren abhängt.

Hier habe ich aufgrund meiner eigenen Lebenserfahrung ein paar Tipps für mehr Zufriedenheit im Leben zusammengefasst.

Diese Tipps sind nur als Impuls bzw. kleine Inspiration für dich liebe Leserin/lieber Leser gedacht.

Wie man eine eigene Lebensreise gestaltet, hängt es ganz von uns und unseren persönlichen Herzenswünschen ab.

Trotzdem möchte ich meine Erkenntnisse meinen Lesern nicht vorenthalten.

**Darum hier einfach meine Inspirationen und Impulse für mehr Zufriedenheit und Erfüllung im Leben:**

---

Meine erste Inspiration/mein Impuls für mehr Zufriedenheit im Leben ist:

***„Die Bewusstheit als Schlüssel zum Glück/zum glücklichen Leben“***

---

Erleben Sie jede Minute Ihres Lebens nach Möglichkeit bewusst. Dabei nehmen Sie alles mit all Ihren Sinnen achtsam wahr. Erst dann werden Sie das Leben in einem anderen positiven Licht sehen.

Auf diese Weise gelangen Sie auch leichter zu einer inneren Zufriedenheit und werden noch mehr Glück in all seinen Facetten empfinden.

Meine zweite Inspiration/mein Impuls für mehr Zufriedenheit im Leben ist:

***„Mutig durchs Leben gehen und den Mut haben, um was im Leben zu wagen“***

Jeder kann auf eigene Art und Weise das eigene Leben bestreiten, und auch glücklich sein. Es gibt im Leben nicht nur das Gute oder das Böse oder es ist nicht Alles nur Schwarz oder Weiß.

Denn:

> *„Es gibt im Leben eines Menschen viele Möglichkeiten, die das Leben noch lebenswerter machen können. Und es gibt viele Wege im Leben, die bestritten werden wollen.*

*Das Einzige, was lediglich zählt ist einfach Mut zu haben, sich für einen der Wege zu entscheiden und diesen Weg auch voller Zuversicht zu gehen.“*

*(M. Balaga)*

Meine dritte Inspiration/mein Impuls für mehr Zufriedenheit im Leben ist:

***„Die eigenen Träume ernst nehmen und diese dann auch Wirklichkeit werden lassen"***

Auch bei der Umsetzung der eigenen Träume ist viel Mut gefragt.

Denn

> *„Hinter den meist uns unbewussten Tagträumen oder den richtigen nächtlichen Träumen stecken unsere Potentiale dahinter, die ausgelebt werden wollen und diese warten einfach ungeduldig darauf sich bewusst zu entfalten."*
>
> *(M. Balaga)*

Meine vierte Inspiration/mein Impuls für mehr Zufriedenheit im Leben ist:

***„Die eigenen Ideale, die eigenen Wünsche und die eigenen Träume zu besitzen“***

Die Vorbilder zu haben ist im Allgemeinen nichts Negatives. Man sollte jedoch in erster Linie selbst die eigene Richtung dem Leben verleihen.

> *„Dabei sollte man auf den Takt der Wünsche des eigenen Herzen achten, denn nur auf diese Weise findet man ein persönliches und unverwechselbares Lied des eigenen Lebens.“*
>
> *(M. Balaga)*

Meine fünfte Inspiration/mein Impuls für mehr Zufriedenheit im Leben ist:

**_„Sich auch an einem kleinen Glück erfreuen können"_**

*„Nur derjenige, der sich gerade an den kleinen Sachen erfreuen kann, kann jedes Glück egal, wie groß oder klein in vollen Zügen empfangen und noch mehr bewusster genießen."*

*(M. Balaga)*

Meine sechste Inspiration/mein Impuls für mehr Zufriedenheit im Leben ist:

***„Die Selbstliebe“***

Alles was Sie in Ihrem Leben tun, machen Sie es einfach nach Ihrem eigenen Maßstab und in Ihrem eigenen Tempo, sodass es sich für Sie gut und dazu angenehm bzw. richtig anfühlt.

Tun Sie niemandem was zu Liebe, es sei denn das ist wirklich Ihre wahre Intention.

Meine siebte Inspiration/mein Impuls für mehr Zufriedenheit im Leben ist:

***„Die Selbstakzeptanz“***

Akzeptieren Sie sich so wie Sie sind unabhängig von Ihrem Alter auch mit all Ihren Schwächen, die gehören einfach zu dem Menschsein dazu.

Sie sollten zwar dem Anderen gegenüber Akzeptanz aufbringen, aber das Wichtigste überhaupt ist die Selbstakzeptanz Ihnen gegenüber. Denn wer sich selbst akzeptiert, ist nicht nur glücklicher mit sich selbst, sondern wird meist auch von den anderen Menschen mit Respekt behandelt.

Meine achte Inspiration/mein Impuls für mehr Zufriedenheit im Leben ist:

***„Das eigene Leben ohne große Erwartung begegnen“***

Auch wenn das Leben an sich vieles zu bieten hat, sollte man eher eine neutrale und bescheidende Einstellung gegenüber dem Leben annehmen.

Denn wenn man gerade nicht viel vom Leben erwartet, überrascht es den Menschen in vollen Zügen. Der Überraschungseffekt ist dann noch höher, als wenn man von vornerein zu viel verlangt und einfach enttäuscht wird.

Meine neunte Inspiration/mein Impuls für mehr Zufriedenheit im Leben ist:

***„Alles im Leben als etwas Besonderes ansehen und einfach dankbar sein“***

Einfach nicht alles im Leben als selbstverständlich ansehen und vor allem für die kleinen Sachen dankbar sein.

Meine zehnte Inspiration/mein Impuls für mehr Zufriedenheit im Leben ist:

***„Zur eigenen Gefühlswelt stehen und diese auch sichtbar leben“***

Vollkommen hinter den eigenen Gefühlen stehen und diese auch bereit sein authentisch nach außen zu transportieren, sei es durch Freude in Form von Lachen oder durch Trauer in Form von Tränen.

Denn:

*„Egal welches Gefühl, ob positiv oder negativ, jedes Gefühl gehört zu dem Menschsein dazu. Durch die negativen Gefühle wird uns die Bedeutung der positiven Gefühle noch deutlicher. Umso wichtiger ist es immer zu den eigenen Gefühlen zu stehen und diese aktiv zu leben anstatt diese zu unterdrücken. Nur so bleibt unsere Emotionalität in der Balance."*

*(M. Balaga)*

Meine elfte Inspiration/mein Impuls für mehr Zufriedenheit im Leben ist:

***„Auf eigene Einstellung zum Leben achten"***

Vieles im Leben hängt von unserer persönlichen Einstellung ab. Wie der Tag so wird oder wie wir uns fühlen und noch im Laufe des Tages fühlen werden, alles hängt von unserer Einstellung ab.

Darum ist es wichtig immer schon positiv eingestimmt morgens aus dem Bett aufzustehen, dann fängt der Tag voller Freude und Leichtigkeit an.

Meine zwölfte Inspiration/mein Impuls für mehr Zufriedenheit im Leben ist:

***„Sich einfach ab und an Zeit für sich gönnen“***

Ab und an sich zurückziehen und einfach für sich selbst da zu sein. Diese Zeit kann vielfältig genutzt werden. Unter anderem um den eigenen Hobbys nachzugehen. Oder zum Entspannen, um auf andere Gedanken zu kommen.

Und das Wichtigste meiner Meinung nach ist die Verwendung dieser Zeit um z.B. Sachen zu reflektieren und bewusst zu verinnerlichen. Auch wenn man nicht immer die Zeit hat, sollte man ab und an abends bevor man schlafen geht, den Tag Revue passieren lassen.

Vor allem dann, wenn etwas Wesentliches für uns persönlich an dem Tag vorgefallen ist. Nur auf diese Weise können wir tatsächlich aus dem Geschehenen lernen.

---

Meine dreizehnte Inspiration/mein Impuls für mehr Zufriedenheit im Leben ist:

***„Der Herzensstimme folgen“***

---

Zur Abrundung meiner Inspirationen für ein glückliches und erfülltes Leben will ich meiner Ansicht nach auf den bedeutsamsten Impuls überhaupt zu sprechen kommen. Es geht hier um unsere Intuition bzw. innere Stimme.

> *„Folge immer der Stimme deines Herzens/Deiner Intuition, diese wird Dir immer den richtigen Weg weisen.“*
>
> *(M. Balaga)*

Wenn Sie meine Impulse für mehr Zufriedenheit und mehr Glück im Leben einfach als Geschenk ansehen und auch dieses Geschenk annehmen, wird das Gehen durchs Leben nicht nur leichter erscheinen, sondern es wird tatsächlich leichter.

Natürlich ist das Leben nicht immer perfekt und verläuft nicht immer geradlinig. Aber gerade der nicht geradlinige Verlauf des Lebens macht den Menschen stark und somit ein wenig „immun“ gegen schlechte Zeiten, die noch evtl. folgen könnten.

Unabhängig davon, wie das Leben verläuft, sollten wir das Ziel: einfach glücklich und erfüllt zu sein, immer vor Augen behalten.

Und sich jedes Mal aufs Neue durch unsere Intuition bzw. die Stimme unseres Herzens leiten lassen.

Nur dann gewinnt das Leben an wahrhaftigen Sinnigkeit und unendlichen Erfüllung.

Sind Sie bereits auf der einmaligsten Expedition aller Zeiten

**EXPEDITION**

**ZU IHREM HERZEN/IHRER INTUITION UND SOMIT ZU SICH SELBST?**

*„Ein äußerer Reichtum, wie Geld oder Vermögen ist vergänglich. Darum ist es umso wichtiger einen inneren Reichtum in uns selbst zu erkennen und bewusst zu nutzen, denn dies ist der wahre Schlüssel zu einem glücklichen und erfüllten Leben."*

*(M.Balaga)*

## Kapitel 10 - Ein paar abschließende Worte vom Herzen

Während Sie Ihre eigene Lebensgeschichte jeden Tag mit den zahlreichen Erlebnissen und Erfahrungen füllen und so zu sagen Ihre Geschichte jeden Tag neu schreiben, versuchen Sie einfach Sie selbst zu bleiben und darüber hinaus sich selbst treu zu bleiben.

Machen Sie sich einfach bewusst, dass jeder Tag eine neue Chance ist, das Leben erfüllt und voller Freude zu genießen.

Der Neuanfang im Leben ist jeder Zeit möglich.

Folgen Sie ihrem Impuls, bzw. ihrer Herzensstimme und leben Sie bewusst Ihr Leben.

Nur so erkennen Sie leichter Ihre wahre Lebensaufgabe und erreichen leichter Ihre

Ziele, so dass Sie am Ende Ihres Lebens stolz und zufrieden auf das vergangene Leben zurückblicken können und am Ende Ihres Lebens nichts vermissen.

Versuchen Sie sich einfach nicht vorwiegend mit anderen Sachen wie: die materiellen Güter, übermäßigen Konsum oder jeglichen Süchten von dem tatsächlichen Leben abzulenken oder sogar von dem eigenen Selbst, eigenen Zweifeln und Ängsten wegzulaufen.

Denn die Ängste und Zweifeln sind gute Hinweise und Ratgeber, welche auf Veränderung im Leben den Menschen aufmerksam machen wollen.

Wenn man diese Ängste verdrängt und sich anderen Sachen zuwendet, um sich von dem wahren Leben abzulenken, ist die Gefahr groß, dass das Leben nur ausschließlich auf zahlreiche Ablenkungen des Lebens fokussiert wird und nicht auf den Kern des Lebens also das eigene Leben einfach so zu leben und so zu gestalten, wie wir uns es wirklich vom Herzen wünschen.

Haben Sie den Mut, das Leben so wie es ist in jedem auch so kleinen Augenblick mit all seinen schönen Seiten und Facetten in dem Hier und Jetzt zu genießen.

Denn sich über das Leben zu beschweren oder sich über das Leben zu ärgern, ist meiner Meinung nach reine Zeitverschwendung.

Das Leben will uns Menschen keinesfalls in Ärger versetzen, sondern es will uns lehren und zeigt uns Wege auf, die wir manchmal bestreiten müssen, um bestimmte Sachen zu verstehen.

Auch wenn wir Menschen manchmal durch Tiefen des Lebens gehen müssen, ist es letztendlich dafür da, dass wir auf diese Weise Erkenntnisse gewinnen.

Und diese kostbaren Erkenntnisse sind einfach erforderlich, um zu begreifen, dass das Leben nicht immer schwer oder ungerecht ist.

Die allgemeingültigen Aussagen wie z.B.: „das Leben ist kein Zuckerschlecken oder kein Ponyhof" begleiten uns jeden Tag leider immer wieder, meist, wenn wir unzufrieden sind oder irgendwas unserer Meinung nach falsch gelaufen ist.

Diese negativen Denkmuster haben leider festen Platz in unserem Alltag angenommen.

Aber wer sagt, dass wir nicht unbeschwert und leicht durch Leben gehen können? Ist das wirklich so, dass das Leben an sich uns Menschen an unserem persönlichen Glück hindert?

Da muss ich ein wenig schmunzeln, denn das typische für den Menschen ist es, dass er immer nach den Verantwortlichen für alles was im Leben schiefläuft, überall gesucht wird.

Erstaunlich ist jedoch die Tatsache, dass wir falls wir glücklich das Leben gestalten wollen, erst einmal selbst die Verantwortung für eigenes Leben übernehmen müssen und dann wird uns schnell klar, dass des Öfteren wir uns selber im Wege zum erfülltem Leben stehen, in dem wir an den alten überholten und nicht der Wahrheit entsprechenden Denkmustern, Glaubenssätzen, Überzeugungen einfach unbegründet festhalten und uns somit selber ausbremsen die Leichtigkeit und Fülle des Lebens in vollen Zügen zu genießen.

Das Leben will gelebt werden, aber einfach glücklich und voller Freude, darum stellt es uns Menschen auf unserem Lebensweg manchmal „Probleme oder viele nennen es Schicksalsschläge“.

Vertrauen Sie einfach, dass alles in Ihrem Leben so wie es ist, einfach richtig ist.

Wenn Sie trotzdem mit Ihrem Leben nicht zufrieden sein sollten, glauben Sie an sich selbst und versuchen Sie voller Mut und voller Zuversicht Ihr Leben so zu verändern, dass es sich einfach für Sie gut und richtig anfühlt.

Ein paar Inspirationen und ein paar Impulse haben Sie schon in meinem kleinen Buch gefunden. Vielleicht wirken diese unterstützend auf Ihrem persönlichen Lebensweg.

Damit Ihr einmalig besonderes Leben noch leichter, erfüllter und zugleich lebenswerter wird, wünsche ich Ihnen, dass Sie das Wesentliche im Leben, wie Freude, Glück und Erfüllung einfach in sich selbst zu entdecken.

Hören Sie einfach in sich hinein und werden Sie achtsam mit sich selbst.

Nur dann werden Sie feststellen, was Ihre tiefsten Herzenswünsche sind und was Sie sich eigentlich wirklich in Ihrem Leben wünschen.

So lange Sie Ihrer inneren Stimme bzw. Herzensstimme folgen, werden Sie auf dem **rechten** Weg bleiben, der für Sie sich immer stimmig anfühlen wird.

Fangen Sie schon heute bewusst ihrer Herzensstimme zu lauschen.

**Viel Freude auf der Entdeckungsreise zu Ihrem Herzen und zu sich selbst!**